환생 극장

환생 극장

발 행 | 2024년 05월 14일
저 자 | 임수민
펴낸이 | 한건희
펴낸곳 | 주식회사 부크크
출판사등록 | 2014.07.15 (제 2014-16호)
주 소 | 서울특별시 금천구 가산디지털1로 119 SK트윈타워 A동 305호
전 화 | 1670-8316
이메일 | info@bookk.co.kr

—

ISBN | 979-11-410-8504-9

www.bookk.co.kr
© 임수민 2024
본 책은 저작자의 지적 재산으로서 무단 전재와 복제를 금합니다.

환생극장

임수민 지음

CONTENT

사람은 누구나 저승을 간다. 하지만 저승은 그리 호락호락하지 않다. 저승은 고스트 코인이라는 것이 있고 영혼들은 흔히 그것을 고스트라고 부른다. 그리고 저승은 매우 환경이 좋기 때문에 누구나 가고 싶어한다. 하지만 이곳도 저승도 모두 고스트가 필요하다. 만약 고스트가 없다면 저승에 갈 수 없다. 영혼들은 보통 편하게 살기위해 저승에 가고 싶어한다. 이곳에서 알바를 1 시간 하면 보통 5000 고스트를 받는다. 그래서 영혼들은 이승에 머물수 밖에 없다. 돈이 없으니까. 하지만 영혼이 죽은 날부터 정확히 1 년이 지나면 영혼은 소멸한다. 그리고 나는 극장을 하나 운영한다. 뭐 극장보다는 체험장에 가깝지만. 나의 극장은 이승의 극장과 비슷하다. 다른 것은 사람이 아닌 영혼들이라는 것뿐 그뿐이다. 나는 저승에 가기 위해 극장을 만들었고, 나는 저승에 가서 성공한 영혼이 될 것이라는 꿈을 가지고 있다. 이 책은 나의 환생극장 이야기를 담고 있다.

제1장 환생 극장

'아, 맞다. 직원 구해야 하는데. 귀찮네… 생각해보니까 걔랑 고스트 나눠야 하는 거잖아. 굳이 나의 고스트를 걔랑 나눠야 할까…' 유월은 누군가 온지도 모른체 생각에 잠겼다. "저… 여기가 환생극장인가요?" "아, 손님이 오셨군요. 맞습니다. 여기가 바로 환생극장입니다." 유월의 앞에는 죽은 오래 된 것 같은 창백하고 푸른 피부의 여자가 서있었다. "네. 혹시 이름이?" "저는 김지원이라고 합니다. 나이는 33 세이고 여기로 오면 다시 환생한 것 같은 체험을 할 수 있다고 해서…" "네. 맞습니다. 이곳에 오면 환생할 수 있죠." 유월의 말에는 거짓이 약간 섞여있었다.

띡띡띡

유월은 마치 마트 계산기처럼 생긴 기계에 여자의 이름을 입력했다. 그러자 기계에서 8 자리의 번호가 나왔다. [69306037]

띡 띠딕 띠디딕 띠디

그리고 여자의 주변에 푸른색으로 원이 그려지며 여자는 사라졌다. “부디 좋은 체험 되시길.” ‘환생 극장의 방식은 이렇다. 다시 환생을 하고 싶은 사람들은 이 곳으로 온다. 그런 다음 13000 고스트를 낸 뒤 이름을 말한다. 가끔 이름이 여러개 나올 때가 있는데 그 때에는 사진으로 찾거나 생일, 나이로 찾는다. 그 뒤로는 8자리 번호가 나오는데 그 번호를 다시 기계에 입력하면 그 사람은 자신이 환생 한듯 체험을 하게 된다. 아 맞다. 영혼이지. 보통 영혼은 자신이 소멸하기 직전까지 체험을 하게 되는데 다른 방식으로도 할 수 있다. 다른 영혼과 비슷한 존재를 만들어 그 존재가 하는 것을 구경할 수도 있다. 그래서 이곳이 극장인 것이다. 그런데 난 그 존재가 너무 불쌍하다고 생각한다. 그 영혼이 소멸하면 그 존재는 계속 죽음을 반복하며 영원한 삶을 사니까. 그래서 난 그걸 고려해 새로운 룰을 만들었다. 만약 그 존재가 여기가 극장이고, 본인이 공연을 위해 만들어진 존재라는 걸 안다면 그 존재는 새로운 삶을 살 수 있다. 아까 그 영혼이 직접 체험하고 싶었던 건 어떻게 알았냐고? 여기는 최첨단 기술이 발달했기 때문에 그 정도는 이름 입력하면 다 나와.’ “그 사람은 자신의 가장 친한 친구에게 배신 당했지. 그래서 이번생에는 또 다를지도 모른다고 생각해 여기로 온 거지. 역시 영혼은 참 바보 같아. 사람은 바뀌지 않는데 말야. 참

안타까워. 아 맞다. 한가지 말 한게 있는데' "안녕하세요. 아줌마." "반갑습니다. 잠깐만 아줌마? 야, 꼬마야. 누나라고 해봐." 유월의 앞에는 갈색 머리의 남자아이가 서있었다. "아줌마잖아요. 저도 그 환생? 그거 하고 싶어요. 엄마랑 다시 만나야 해요. 집에 가고 싶고 여기는 너무 무서워요. 피부가 파란색인 어른들이 저를 이상하게 쳐다보고…" "그래? 혹시 이름이 뭐니?" "김재현이요." "잠시만 기다려봐." '40643828 이라…'

띡

띡

띡

"좋은 하루 되세요. 손님." "네? 그게 무슨…" 그리고 남자아이는 사라졌다. '재는 어떤 극을 보여줄까나? 아 맞다. 비밀이 뭐냐면 나는 1시간동안 그 사람의 연극을 구경할 수 있어. 물론 1시간이라는 시간이 너무 적기는 하지만. 구경이나 해볼까나.' "안녕하세요." '아. 눈치없게.' "네, 손님 반갑습니다. 환생극장입니다." "여기가 환생을 시켜준다는 곳인가요…?" "네 맞습니다. 그런데 혹시 무슨일로 환생을 원하시나요?" "제가… 이걸 말해도 될까요…?" "네. 편하게 말해주세요." "사실 제가 죄를 저지르다 결국 사형 되어서 여기 온 것이라서…"

“네? 그러시나요? 죄송하지만 여기는 사형수 급의 범죄자는 받지 않고 있어서요.” “하루만 아니 한 시간만이라도 환생하면 안 될까요? 저도 영혼이고 그러니까 …”
“죄송하지만 규칙은 중요하기에 누구든지 예외는 없어요.”
“아악 그 정도도 못해요? 여기는 인권이라는게 없나!!!!! 너도 소멸하기 직전에 들어갈거잖아. 우리는 안 해줘놓고!!! 들어갈거잖아.” 영혼은 폭주하면 날뛰었다. ‘에휴… 어쩔수 없네. 가두고 싶지는 않았는데.’ “뭐 어쩔 수 없죠. 그렇게 원하신다면 제가 보내드릴게요.” 유월은 반쯤 포기한 목소리로 말했다. “정말요? 지금 바로 들어가게 해주세요.”
“혹시 이름이 어떻게 되실까요?” “이름이요? 서…”
“본인 이름이여야 합니다. 만약 본인 이름이 아니시면 입장하실 수 없으세요.” “정예림입니다.” “예림씨. 13000 고스트 내주세요.” “난 천국에 갈꺼야.”

띠딕 띠디딕

예지는 돈을 내지 않고 환생을 하려고 기계의 버튼을 마구자비로 눌렀다. “나는 좋은 곳으로…” 하지만 예림은 몰랐다. 극은 유월이 바꿀 수 있다는 것을. “멍청하긴. 어라? 풉.” 유월은 웃었다. “왜 하필 이 버튼을…” 기계에는 다양한 버튼이 있다. 유월은 보통 그 사람이 원하는 삶을 살 수 있는 초록색 버튼을 누르는데 그중 예림같이 죄를 지은 사람은 자신의 삶에서 트라우마로 남거나 가장 최악이였던 상황으로 돌아가는 빨간색 버튼을 누른다. 하지만 유월은 예림게 그저 가두는 노란색 버튼을 누를려고 했다. 하지만 뭐 어쩌겠는가. 그 사람이 선택한 길인걸. “난 그럼 신고나 해야겠네.”

띠디딕

“여보세요. 거기 경찰이죠? 여기 범죄를 저질러 혼점으로 온 것으로도 모잘라 자신의 죄를 뉘우치지도 않고 환생 극장에 온 이상한 영혼이 있습니다. 자신이 날뛰다 이상한 버튼을 눌러 지옥으로 갔는데 돈도 내지 않아서 빠르게 소멸 켜주시기를 바랍니다.” “네, 그 영혼의 이름이 무엇인가요?” “정예림이였나? 그랬던거 같습니다.” “네 알겠습니다. 빠르게 소멸 시키겠습니다.”

제2장 나의 과거

자는데 문득 이런 생각이 들었다. {나는 예전에 어떤 사람이였지?} 영혼은 소멸할때까지 모두 기억을 가지고 있다. 나 같은 사람도 웬만하면 기억한다. 하지만 나는 특별한 케이스로 기억하지 못한다. 아니 어쩌면 까먹은 것일지도 모른다. 그래 내가 몇 년이나 이 극장을 운영했는지도 까먹었는데 전생을 기억할리가. 그치만 궁금한데. 누구한테 물어볼수도 없고 누군가가 알려줄리도 없고 정말 미치겠네. 아, 근데 진짜 알바 구해야 하는데 좀 귀찮네. 그치만 그렇게 하지 않으면 더 귀찮아지겠지. 모르겠다. 내일로 미루자.

"아니 근데 생각해보니까 알바는 어떻게 구해야하지… 난 초보사장인데…" 그리고 유월은 생각에 잠겼다. "그냥 가게 앞에 포스터나 붙여놔야겠다." 그리고 유월은 되지도 않는 실력으로 포스터를 만들어 가게 앞문에 붙였다. "아, 나 완전 잘 만든거 같아. 너무 뿌듯하다." 그리고 유월은 망상 잠겼다. "아니 근데 나의 과거라… 이거 정부에 물어보면 알려줄려나? 아니 말도 안되는 소리하지 말자. 아 일 하기 싫다. 이것도 다 돈 벌려고 하는 짓인데. 근데 나 얼마 벌었지?"

"30 만 고스트? 가게 장사하고 밥 사먹고 해서 남은 돈이 이 정도면 꽤 많이 모였네. 근데 이걸 2 번하고도 조금 더 해야한다고? 이건 좀 아닌거 같은데. 그냥 목표 때려칠까? 아니. 이건 나의 처음이자 마지막 목표 절대 포기하지 않을거야. 나 좀 멋있는 듯." 유월은 중얼되며 손님이 온지도 몰랐다. "저기요! 여기 영업하나요?" "아, 손님이 오셨군요. 혹시 이름이 어떻게 되세요?" 유월은 최대한 친절하게 손님을 받았지만 딱히 효과는 없어보였다. "여기 알바 안 구하시나요?" "아 알바니?" '오히려 좋아.' "그래 일단 면접부터 보자. 차 대접할 테니까 조금만 기다려." "네." 그리고 유월은 자리를 잠시 떠났다

"오래 기다렸지. 이거 저승산 최고급 월혼(月魂)차야. 이거 나도 자주 안 먹는건데 중요한 손님이니까."

'어라 애가 어디갔지?'

따르릉 전화기에서 전화벨이 울린다.

"전화올 곳이 없는데? 누구지? 여보세요." "반갑습니다. 혹시 환생극장을 운영중이신 오유월씨 맞으신가요?" "네. 제가 오유월인데 무슨 일이신가요?" "저는 저승 정부의 인원인 호진이라고 합니다. 당신 때문에 지금 혼점이 난리가 났어요. 네? 당신 영혼 관리를 어떻게 하는 겁니까? 지금 가뜩이나 이상한 영혼이 영혼들 풀어주어서 난리인데 당신까지 이러면 어떡합니까? 설마 당신도 한패인가요? 빨리 이 영혼들 데리고 가세요. 아직도 이 곳이 연극인줄 알잖아요. 당신이 이상한 가게를 연다고 할 때 말렸어야 했는데… 쯧. 빨리 데리고 가요. 여기 원혼 편의점인데 자그마치 4명이에요. 4명. 빨리 데리고 가세요."

뚝

"아니 이 사람 뭐야? 그리고 영혼 탈출? 내가 영혼 관리를 얼마나 잘하는데. 아… 일단 보면 되지. 영혼들이 없을리ㄱ… 없네? 아니 일단 이럴때가 아니지. 내 손님들 내 공연. 빨리 어디라고? 원혼 편의점 바로 가야겠다."

“어 저기 온다. 사장.” 어떤 영혼이 말했다. “내 편의점 어쩔거에요? 지금 영혼들이 다 먹고 있잖아. 여기는 자기들 세상이라면서.” 원혼 편의점 사장 아주머니가 분노하며 말했다. “저 영혼이 저희집에 쳐들어왔다니까요?” “제 결혼 반지도 빼앗아 갔어요.” “저는 납치 될뻔했어요.” 곳곳에서 주민들의 불만이 솟구쳤다. ‘아… 이거 내 돈으로 갚아야 하는데. 이게 무슨일이지?’ “죄송합니다. 제가 다 보상해드릴게요.”

그리고 유월은 허탈했다. “무… 무슨… 이제 좀 모아가는데 보상이 15 만 고스트… 설마 알바하러 왔다고 온 그 영혼인가? 정부가 이상한 사람 있다고 했는데…” 띵동 편지 왔어요. “가뜩이나 심란한데 무슨 편지? 귀찮다. 문 앞에 두고 가세요.” “이거 도장이 필요한데요?” “그럼 제가 가져다 드릴 테니까 주소 적고 가세요.” “알겠습니다.”

“뭔 편지냐? 기분도 별론데 걍 장사 접어? 그래도 편지니까 보러 가기는 해야겠지? 나가자…”

“정부에서? 아, 나 전에 모범 사장 신청한거 결과 나왔나? 선정이겠지? 제발…”

영업정지 알림

안녕하세요. 가게 점주님. 지금 읽고 계신분이 저희 이승과 저승의 사이점 혼점에서 영혼 극장을 운영하고 계신 오유월씨 맞으시겠죠. 최근 영혼 극장에서 영혼들이 탈출하는 대형 사고가 일어난건 알고 계시나요? 그런데 저희 정부는 이 일을 아주 진지하게 받아드리고 있습니다. 지금은 유월씨가 모아둔 돈이 좀 많아서 보상을 해주셨지만 그 다음은 예상할 수 없잖아요. 아시다시피 저희 정부는 유월씨 같은 가게를 운영하시는 사업자 분들은 열심히 가게를 운영하는 대신 평생동안 혼점에 계실 수 있는 특권을 누릴 수 있으시게 해드리잖아요? 그런데 그 분들 사이에서도 다양한 우려의 목소리가 나오고 있어요. 평생 일만하다가 저승에서 평생 살고 지겹지 않겠냐고요. 저희가 생각해보아도 여기 계시는 사업자 분들이 이 세상에서 사라지게 하는 방법을 생각하지 못했더라고요. 그래서 저희가 지금까지 만들지 않아 죄송한 마음을 담아 자신이 소멸할 시간도 정할 수 있도록 만들려고 합니다. 하지만 이렇게 하면 방금 제가 말했던 상황에서 유월님 입장에서는 그냥 소멸해 버리시면 끝이 상황이 되버립니다. 그리고 유월님이 소멸해 버리시면 저희도 피해가 만만치 않습니다. 그리고 환생 극장이 있어서 저희가 정부에 찾아오는 영혼들이 줄어서 이득도 많이 받았습니다. 그리고 유월님은 특이하게도 능력이 있잖아요? 환생극장을 운영하실 수 있는 영혼은 유월님 밖에 없으셔서 저희도 어쩔 수 없습니다. 그래서 저희가 생각한 방법은 유월님의 극장을 영업 정지하는 겁니다. 하지만 유월님 입장에서는 협박으로 들릴 수 있는 점 양해 부탁드립니다. 일단 지금으로써는 저희가 말하는 10 가지를 꼭 지켜주시기 바랍니다.

1. 만약 또 이런 사고가 벌어진다고 해도 유월님은 그 돈을 갚지 않으신다면 소멸하실 수 없습니다.

2. 유월님은 1000 년 동안 소멸을 하실 수 없습니다.

3. 이 사항을 지키지 않을려고 하실시 100 년 더 추가 할 것입니다.

4. 앞으로는 1 년에 한 번씩 점검을 나갈 것이니 극장 문을 잠그거나 하지 마십시오.

5. 만약 점검에서 하나라도 이상한 부분이 나온다면 환생 극장은 1 년 동안 영업 정지입니다.

6. 만약 영업 정지를 당하신다면 환생 극장에서도 나가주셔야 합니다.

7. 앞으로 저희가 몇일을 영업 정지한다고 해도 불만을 가지시 마십시오.

8. 저희가 조금 참견한다고 해도 절대 말리시지
   마십시오.

9. 저희에게 위협을 가하지 마십시오.

10. 앞으로 환생극장의 손님을 대하는 것보다 저희를 더
    우대하게 대해 주십시오.

그리고 오늘 대처가 좋지 않았기 때문에 1년동안 영업 정지입니다. 이것들을 모두 지키시기는 힘들겠지만 조금만 신경 쓰면 되는 것들이기에 지켜주시기를 바랍니다.

" ? 아니 그냥 협박 편지잖아. 협박을 참 돌려서도 말한다. 아니 근데 영업정지? 그것도 1 년이나? 하… 안 그래도 15 만 고스트 뜯겨서 화나는데 이제 돈도 못 벌어? 이번 사고로 주민들이랑 사이도 멀어졌는데 앞으로 어떻게 사냐… 소멸도 못하게 하면서 뭐 어떻게 살지? 아니 근데 정부는 환생 극장이 필요하다면서 여기를 영업 정지하면 어쩌라는 거야. 일단 내가 할거나 찾으면서 하면서 시간이나 떼우자."

"이거를 이렇게 해서 이거를 붙이고 됐다." 유월의 손에는 하얀색 뜨개질 실로 뜬뒤 토끼 단추가 달려 있는꽤 그럴싸한 목도리가 놓여있었다. "나 왜 잘하지? 아니… 내 실력이 이 정도나 되었었나? 이걸로 목도리 값 저축~ 다음은 모자나 떠볼까나?"

"역시 나의 실력 녹슬지 않았어. 일단 돈을 아꼈고 어짜피 알뜰살뜰하게 살려고 했는데 사고 때문에 더 알뜰살뜰하게 살아야 되잖아. 진짜."

"아니 잠깐만. 이걸 할 때가 아니지. 손님이 없다고…" 유월이 항상 영혼이 가득 차있던 기계를 바라보면며 말했다.

제3장 1년의 끝

“드디어 1년이 지났다. 아아아 드디어 돈을 벌 수 있어. 일하는 게 이렇게 즐거운 일이였다니.” 절대 지나지 않을 것 같았던 1년이 지났다.

따르릉

“끄응 또 정부다. 일단 받아야겠지. 여보세요.” “네 유월씨 저희가 말씀드린대로 유월씨는 무조건 저희의 말을 들으셔야 합니다. 방금 대형 버스 교통 사고가 나서 17명 정도의 영혼들이 혼점으로 왔습니다. 바로 소멸 시키기는 어려워서 극장으로 옮겼는데 곧 영혼들이 들이 닥칠 것이니 한 극장에 모두 넣어주세요.”

뚝

“와 싸가지… 겁나 많이 온다고 했는데. 망했다.”

다다다닥다다다닥

“하… 겨우 다 처리했다. 당분간은 자리가 없어서 잠깐 영업중지 해야겠어. 아니 생각해보니까 정부 때문에 1년만에 영업했는데 또 정부 때매 며칠동안 영업중지해야 하잖아. 미치겠다. 아니 진짜 소멸도 안 시켜주고 영업도 못하게 하고 지들 말만 들으라고 하고 나는 기억도 안나서 미치겠고. 죽겠다. 일단 쉬자. 슬픈 휴가긴 해도 기왕 휴가인거 열심히 일하자.”

따르릉 따릉 따르르릉 따르르르르르릉

“아 간만에 꿀잠 잤는데 누구야. 개한테 밥으로 줘버려도 쓸모없는 영혼도 아닌 존재? 아, 정부구나. 짜증나네. 안 받으면 난리칠거 같으니까. 받아야겠지. 여보세요.” “오유월씨. 왜 전화를 안 받습니까? 저희가 몇 번이나 전화했는지 알아요?” ‘이게 처음이라고 되어있는데 어이없네.’ “극장은 왜 안 열어요? 지금 혼점에 영혼들이 얼마나 많은지 알고는 있어요? 아니 지금 제 말을 듣고는 있는거에요?” “아니… 정부에서 대형 버스사고가 일어났다고 해서 돈도 못 받고 자리도 다 차서 저도 영업하고 싶어요.” “저희 일의 끼어들지 않는것도 10가지에 포함됩니다. 무조건 넣으세요. 그렇지 않으면 유월씨가 가지고 있는 돈을 전부 회수할겁니다. 그런줄 알아요."

뚝

"아니 지들이 왕인줄 아나. 돈을 벌지를 못하게 일하라고 하면서 안한다고 돈을 뺏고 돈을 절대로 벌지 못하게 하네. 소멸이나 하고 싶은데 하지를 못하고 진짜 가게 문 닫아? 그럼 난 벌을 받겠지? 진짜 불공평한 세상. 아니 자리가 없는데 지금 영혼을 넣으면 이상현상이 일어나는데. 그래도 받아야겠다."

"안녕하세요. 여기 영업하죠? 정부가 된다고 했으니까." '와. 누가봐도 진상이다.' "그리고 주스 좀 내와봐요. 여기 서비스가 형편 없네. 제가 정부에 입김 한 번 불면 여기 망하는 거 한순간이거든요? 어짜피 여기 정부에 찍혀서 당신 금방 짤릴거에요." "아. 네 알겠습니다. 저희가 지금 정부에서 부작용을 넣어서 50% 할인행사를 하고 있어요." '부작용이 있기는 하니까 세일은 해야해.' "어머. 세일이요? 당장할께요. 얼마에요?" 손님은 '부작용' 이라는 말은 듣지 못한 것 같다. "세일해서 6500 고스트입니다." "아니 왜 이렇게 비싸?" '아니 1 시간 일해서 5000 고스트인데 극 한번에 6500 고스트이면 싼거 아닌가?' "근데 손님은 뭔가 특별해 보이셔서 특별히 1000 고스트로 해드릴게요.” ‘이렇게라도 하지 않으면 정부에게 내 욕을 써 돈을 뺏기겠지. 정말 사회생활이라는게 힘들다.’ “어머 1000 고스트요? 바로 할께요.” “이름 말해주세요.” “저는 서유림이라고 합니다.” “네. 어 서유림이라는 영혼이 2 명인데 생일이 어떻게 되세요?” “저 2 월 16 일이에요.” “네. 아마 부작용이 있어서 더 재밌는 공연이 되실겁니다. 부디 좋은 일이 생기길.” “네? 부작용이 있었어ㅇ…”

“그러게 사람 말은 잘 들어야 한다니까.”

제4장 영혼의 이야기

'나는 영혼이다. 죽자마자 영혼 극장이라는 곳에 대해 알게되었고 꼭 그곳에 가고 싶었다. 그래서 열심히 돈을 벌었지. 하지만 영혼 극장이라는 곳은 조금 비쌌다. 13000 고스트는 그렇게 큰 돈은 아니지만 여기서도 이승처럼 죽는다. 굶거나 사고가 나거나 이런 상황들에. 죽으면 소멸된지. 환생을 한다고 해도 기억도 하지 못하고 확률도 매우 적지. 난 저승에 가는 것은 이미 오래전에 포기했다. 여기는 물가가 매우 빠르게 올라서 돈을 모으기란 쉽지 않았다. 1000 고스트 정도를 모았는데 환생 극장이 1 년이나 영업을 정지한다고 하였다.'

"뭐? 영업 정지 처분? 아니 영업을 다시 할때면 내가 이미 소멸된 후잖아. 심지어 영업을 중지한게 정부야? 정부는 영혼들의 말을 제일 중요하게 여긴다고 했으니까 따져봐야 겠어." 그리고 유림은 정부로 향한다.

“네. 영혼분 무슨 일이 있어서 오셨나요?” “환생 극장
말이에요. 제가 5개월쯤 전부터 돈 모아 가고 싶었거든요?
근데 왜 영업을 정지해요? 저는 곧 소멸하는데 그럴거면 제가
소멸하는 것을 1년 더 늦춰주세요.” “네? 그러시군요.
불편을 드려서 정말 죄송합니다. 영혼분 성함이 어떻게
되시죠?” “서유림입니다.” “네 서유림양. 소멸시간 1년
늦춰드렸습니다. 환생 극장에서 행복한 시간 보내시기
바라겠습니다.” “네 감사합니다.”

‘이렇게까지 해서 드디어 환생 극장에 왔는데 부작용이라니?
그래도 심했으면 문을 안 열었겠지? 그리고 진상짓 한거는
나도 소멸 시간 늦추고 하느라 힘들어서 괜히 화풀이 한건데.
부작용이 있으니까 이건 쌤쌤이야. 그래서 여기가 어디지? 어
머리가 지끈거려.’ 안타깝게도 그 영혼은 환생 극장에 오면
기억을 잃는다는 걸 몰랐나 보다.

‘여기가 어디지? 나는 분명 차에 치여서. 내 다리…’ 깨어난
영혼은 다리를 다친 모습이였다.

쿠궁

그리고 영혼이 누워 있던 병원에 불이 난듯했다. 불은 빠르게
번졌고 하필 영혼이 누워 있던 층이 1층이라 지진이라도 난
것 마냥 천장이 떨어졌다. 천장은 아주 느린 속도로
떨어졌지만 영혼이 그걸 피할 수는 없었다. 아까도 말했다시피

영혼은 다리를 다쳤기 때문이다. 그리고 영혼은 끝내 죽어 소멸했다.

"아 왜 이렇게 빨리 끝나. 시시하게…" 그 광경을 보던 유월이 말했다. "내가 분명 부작용이 있다고 했을텐데." 부작용은 다시 환생을 한 영혼은 1 시간에 안에 죽는다. 우리 극장에서 극을 구경하다 죽는다면 영혼은 소멸해버리지. 오히려 정부가 이 사실을 알고 영혼들의 수를 줄일려고 나를 협박했던거 아닐까? 어쨌거나 정부 때문에 정가의 10%도 못 받았잖아. 에잉 쯧. 정말 언제쯤 저승에 갈 수 있을까."

"월! 월!" "어 뭐야? 강아지가 이 곳에 온 건 처음인데? 안녕 강아지야. 혹시 길을 잃었니?" "월 워러럴러러" "아, 손님이셨군요. 일단 좀 가까이 오시죠." "월!" "성함이 어떻게 되세요?" "월월" "아, 생각해보니까 강아지 말을 내가 어떻게 알아듣지?" "월월" "코코? 네 이름이 월월이구나. 알겠어. 월 월 이" 유월은 체념한듯이 기계에 이름을 입력했다. "어라? 진짜 코코구나? 일단 잘가렴." "월!"

'나는 강아지다. 문이 산책이 가고 싶은데 주인이 안 가서 그냥 문이 열릴 때 나가버렸다. 나가서 꽃들이랑 인사도 하고 해님과 바람들이랑 수다도 떨고 옆집 강아지 삐뽀랑 데이트도 했다. 그러다가 내가 좋아하는 간식 브랜드 모양의 차가

있길래 가까이 갔다. 그러다가 넘어졌다. 그리고 내 몸은 빨간색으로 물들어 있었다. 빨간색이 예뻤지만 아팠다. 그리고 주인이 왔다. 주인이 울고 있었다… 주인이 보고 싶었다. 환생 극장에 가면 주인을 만날 수 있다고 했다. 이상한 사람이…'

"아니 최근에 이상한 일이 되게 많단 말이야. 동물이 오지를 않나, 정부에게 협박을 받지를 않나, 진상이 오지를 않나. 진짜 이게 뭔일이냐. 그래도 최근에 극을 보려고 오는 사람이 없어서 다행인거 같네. 극 준비가 얼마나 힘든데."

"안녕하세요. 여기서 극을 보려고 하는데." '아. 그런말을 하지말아야 했는데.' "네 손님 이름이 어떻게 되세요?" "민예지에요. 그리고 반말쓰셔도 되요." "예지야. 극을 볼려고 한다고?" "네…" "너는 체험 같은 거 좋아할 때 아니야?" "그…그게 엄마한테 사랑한다고 해… 해줘야 해요. 엄마가 살아있을 때… 장난친다고 사랑한다고 많이… 안 해줘서… 흐윽 체험을… 체험을 하면 기억을 잃어서 못 해주니까…" "아 그렇구나. 그럼 들어와. 우리의 극장으로."

"자 여기 앉아 있어. 그런데 극이 시작하면 절대 말을 하면 안돼. 알았지?" "네…"

'보통 영혼들은 극을 보려고 하지 않는다. 극이 끝나면 바로 소멸 되니까. 그리고 극은 자신의 생을 보는 것이니 어린아이일수록 빨리 끝난다. 그렇기 때문에 나는 아이에게 한번 더 물어보고 체험을 추천해준 것이다. 그런데 그렇게 중요한 이유가 있었다니… 뭐, 나는 손님의 의견을 중요시 하니까. 그리고 저 아이에게 부작용을 당하게 해주는 것은 너무 불쌍하니까. 어린 나이에 죽음을 2 번이나 경험하는건 힘들지.'

"나는 칼퇴를 원한다. 칼퇴하고 싶다. 집 가고 싶다. 집에 가고파. 칼퇴 하고파. 언제쯤 퇴근 할까. 대체 언제쯤. ㅠㅠ" "여기 영업해요?" "칼ㅌ… 어 손님이세요? 네, 영업해요." "근데 여기 강아지 한 마리 오지 않았나요?" "강아지라… 아까 왔을거에요. 이미 극장에 들어갔지만." "그래요? 혹시 그 강아지와 같은 곳에 들어갈 수 있나요?" "그런데 지금 저희가 부작용이 조금 생겨서 오래 있으시지는 못하실 거에요. 물론 강아지도요." "괜찮아요. 강아지를 만나고 싶어서요. 1 시간이라도 괜찮아요." 여자는 떨리는 목소리로 말했다. "네 6500 고스트 내주세요." "여기요." "성함이 어떻게 되세요?" "박소윤이요" "네. 좋은 체험 되세요." "감사합니다…" 그리고 여자는 사라졌다. "그런데 체험을 시작하면 기억을 잃는다는 걸 모르시나보네. 뭐, 어쩔 수 없지."

"아 맞다. 생각해보니까 여기로 오면 기억을 잃는다고 했는데… 일단 우리 코코를 봐야겠어. 코코야! 코코야!

어딨어… 나 소윤이야. 너보고 싶어서 여기까지 왔어. 너 여기 있지? 나 너 보고 싶어." "아우울 아울" 먼곳에서 시작된 강아지 울음소리가 점점 넓게 울려퍼졌다. "코코야. 거기 있어? 거기 있지! 내가 보러갈께." 여자는 달려갔다.

"월월!" "코코야. 보고싶었어. 내가 너를 지켜주시 못해서 미안해. 내가 지켰어야 했는데. 우리 여기서는 행복하게 지내자." 여자는 무슨일인지 기억을 잃지 않았다.

"역시 이게 방법이였어." 유월은 기억을 잃지 않는법을 연구하고 있었다. 유월도 언젠가는 원하는 삶이 있을 것이고 극장에 들어갈것이니까. 하지만 잊고 싶지 않은 사람이 있을수도 있지. 아니면 잊고 싶지 않은 기억이 있을수도 있고. 그래서 발견한 방법은 꼭 기억하고 싶은 존재나 기억이 있다면 모든 것을 기억할 수 있다. 그렇지만 유월에게는 그런 존재나 기억이 없다. 애초에 이승에 기억도 없는 유월에게는 그런 기억이 있을리가. 있는게 비정상이 아닐까? "그래. 나를 기억하고 싶은 사람도 없는데 내가 있을리가 없지. 어 벌써 저녁이다. 퇴근해야지. 마지막으로 영혼들 체크 좀 하고."

"코코랑 박소윤도 확인 완료했고, 다른 영혼은 소멸했고 다 확인했다. 아, 예지를 확인해야지."

'잘 있네. 저래 보여도 정상적인 현상이니까.'

그날 밤 유월은 꿈을 꾸었다. 자신이 이 극장을 운영하지 않았으면 어떻게 되었을지.

“여기가 어디지? 난 분명 환생 극장을 운영하고 있었는데… 일단 우리 극장은 아닌거 같고 저승도 아닌데. 혼점인가? 여기는 보통 영혼들이 혼점에 오면 오는 곳인데? 나 새로 온건가. 기왕 이렇게 된거 이번에는 영혼의 삶으로 살아볼까?”

“안녕하세요. 여기 알바 구한다고 해서 왔어요.” “그래유? 근디 이제 알바 안 구하는디… 죄송헌디 저쪽에 편의점이 하나 더 있는디 거기에서 알바를 구한디요. 그짝에서 구하시는게 좋지 않을까유?” 유월이 알바를 구하러 간 편의점에서 퇴짜 맞고 그 옆 편의점으로 갔다.

“저 여기 알바 구하러 왔는데요.” “뭐냐? 아 너 오늘 온 영혼이구나? 미안한데 여기 보이지. 요즘은 영혼 된지 1주일은 지난 영혼만 받고 있어. 아니 우리도 못 가는 저승을 니들이 가면 안되지. 어짜피 못 갈거지만. 아무튼 뭐 살거 아니면 당장 나가.” 여자는 단호하게 말했다. ‘아니 이 사람들 나한테는 착하더니 착한척 한거였어? 영혼한테는 이런식으로 대접하고? 어쩐지 바로 나한테 난리쳤을 때부터 알아봤어야 했는데.' "안 나가고 뭐하세요? 빨리 나가세요. 안그러면 업무방해죄로 신고합니다." "네? 아 나갈께요." '아 진짜 좀 있는 것도 안되나. 그래도 편의점인데.' 유월은 편의점을 나오면서 생각했다.

'아니 어쩔 수 없이 극장을 다시 만들어야 하나. 근데 그때 어떻게 시작했는지 몰라서 할 수가 없는데. 왜 나는 기억이 없냐고…'

그리고 유월은 잠에서 깼다.

"이게 뭔 꿈이냐. 솔직히 거기서 환생 극장 세울려고 했으면 과거의 어땠는지 알 수 있었을까. 생각하면 할수록 머리만 아프네. 그냥 그만해야겠다. 오늘도 극장 운영해야 하니까 컨디션 관리 잘해야해. 근데 뭐지 이 기분 돈은 벌고 싶어서 손님이 많이 오면 좋겠는데 일하기 싫어서 손님이 안오면 좋겠는 이 기분. 모르겠네."

"안녕하세요." 이승이였다면 아주 수상해 보였을 검은 후드티에 모자를 쓰고 조금 보이는 피부는 아주 창백한 남자가 말했다. '되게 수상해 보이지만 여기서는 이게 당연하니까.' "네, 손님 극을 보러 오셨나요? 그럼 이름이 어떻게 되세요?" "극이라… 나는 당신을 보러 온건데?" "네? 그게 무슨…" 남자가 알 수 없는 말을 하자 유월은 당황했다. "아니지. 나도 그 극 보고 싶소. 하지만 고스트가 없으니 이걸로 계산하죠." 남자는 검은 봉투를 내밀었다. '이거 뭐 이상한거 아니야? 심지어 돈도 안낸다고 하는데… 그치만 궁금한건 못참지.' "아… 원래는 안되는데 그래도 이 물건이 특별한거 같으니까 보여드리는 겁니다. 그래서 이름이 어떻게 되시죠?" "김서준이라고 하네." "네. 이 기계가 요즘 말썽이여서 조금만 기다려주세요. 아, 이제 가지실겁니다." "미래에서 만나요. 유월씨." "네? 미래라니요? 그나저나 제 이름은 어떻게…" 남자는 알 수 없는 말을 하고 사라졌다. 유월은 무엇이든 해보고 싶었지만 남자가 있는 극장은 검게 보여 남자가 무슨 극을 하는지는 물론이고 바꿀수도 없게 되었다. "천하의 환생 극장 주인인 내가 극을 보기는 커녕 바꿀수도 없게 되다니… 아, 그 검은 봉투는 어디있지?"

"여기 있다. 대체 여기에 뭐가 들어있는거야? 엥? [우리는 미래에서 만날거야.] 아까 했던 말이잖아. 대체 미래를 어떻게 알고 만나자는 거야? 심지어 만날 수가 없잖아. 애초에 내가 볼 수가 없고 자기는 곧 소멸 될건데. 진짜 진상인가 보네. 그래도 혹시 모르니까 이건 보관해 두어야겠다.”

“뭐야? 예지 벌써 소멸 되었네. 구경이나 할려고 했더니… 아쉽다. 지금은 다 버스 승객들로 가득찼고 승객들은 하나같이 버스에서 살아돌아 오는 극이여서 재미도 없고 남은 사람들은 이미 1시간이 지난거라 볼 것도 없는데. 장사 인생 중 극 구경하는게 낙으로 살아온 내게 이건 너무나도 큰 시련이야.” “안녕하세요. 영업하시나요?” “어라. 손님이 오셨군요. 당연히 영업합니다.” “저… 여기 제가 원하는 대로 극을 체험 할 수도 있나요?” “완전 자세하고 구체적이게는 못하고 대략 할 수 있습니다. 혹시 어떻게 하고 싶으신가요?” “사실 제가 학교폭력을 당해서 여기에서는 당하고 싶지 않아요…” 여자는 떨리는 목소리로 말했다. “음, 그러시구나. 근데 저희가 조금 부작용이 있는데 괜찮으시겠어요?” “부작용이요? 괜찮아요! 그 애에게 복수할 수 있다면.” “그런데 복수보다는 남남으로 혼자서 행복하게 사는 것이 더 좋지 않을까요?” “무슨 소리에요! 제가 얼마나 힘들었는데!!” 여자는 소리치며 말했다. “어머 제가 너무 흥분했나봐요. 죄송합니다.” “괜찮아요. 혹시 본인 성함이랑 괴롭힌 분 성함이 어떻게 되세요?” “그건 갑자기 왜요?” “아 저희가 누군지 알아야 원하시는대로 할 수 있어서요.” “저는 이지현라고 하고 걔는… 민유이에요.” “네 이… 지…

현… 어라?" "네? 무슨일 있으신가요?" "아… 아니에요."
유월은 본능적으로 느꼈다. 이건 무엇인가 잘못 되었다는
것을. "좋은 체험 되세요." "이걸 속네. 역시
멍청하다니까." 영혼은 중얼거리고 갔지만 유월은 그걸 듣지
못했다.

따르릉

"아. 또 정부냐? 최근에는 잠잠하다고 생각했는데… 그래도
받아야겠지." "왜이리 늦게 받아요? 진짜 중요한 일이
생겼어요!" 호진은 받자마자 소리를 쳤다. "아, 죄송해요.
이상한 손님이 오셔서요." "손님한테 이상하다니요? 네? 좀
착하게 말해보세요." "아, 죄송합니다." "아무튼 당신이
이승에 좀 갔다 와야겠어요." "네? 저는 영혼인데 왜 이승에
가야하나요?" "최근에 영혼이 너무 늘어서 유월씨가 이승에
가서 살해 당하는 사람이나 자살하는 사람을
구해주셔야겠어." "저는 상인이지 정부의 노예가
아닙니다만?" "갔다 오시면 저희가 저승으로 보내드릴게."
"그래요? 그걸 먼저 말하셨어야죠." "근데 적어도 100 명은
구해야해요. 저희가 어제 측정기 보냈어요. 사람을 한 명 구할
때 마다 올라가니까 100 명이 되면 오게 해드리겠습니다."
'아니 그냥 노가다 하고 오라네. 그래도 저승에 가는거니까.
어쩔 수 없지.' "알겠습니다. 일단 다녀올게요." "그래요?
그래도 위험할 수 있을니까 저희가 변장술이나 필요걸 꺼낼 수

있는 능력을 드리겠습니다. 대한민국이라는 곳은 꽤
위험하다고 하니까요." '참 고오맙습니다. 라고 할 수는
없으니 그냥 있자.' "네, 신경써주셔서 감사합니다."
유월은 최대한 떠꺼운 말투로 말했다. "네 잘
부탁드립니다." 하지만 호진은 지지 않고 대답했다. "그리고
내일 바로 가니까 영혼들이랑 인사 좀 하고 짐도 싸세요.
그리고 오늘까지는 극장 여세요." "아… 네."
"끊습니다."

뚝

"아니 왜 내일인데 그걸 바로 전날에 말하면 어쩌자는거야.
아니, 저 사람 인성에 전날 말해주는 것도 고마워해야 하나?
일단 빨리 짐이나 싸야지. 아, 맞다. 짐 싸야 하는걸 이제
말해줬으면서 운영을 하라고 했는데. 진짜 시간을 얼마나
쪼개야 이걸 다 할 수 있을까? 모르겠다."

"일단 창조 능력 준다고 해서 거의 다 만들 수 있지만 그래도
새로 산 내 옷랑 신발 그리고 차랑 이거랑 저거랑 여기 있는
이것도 챙기고 이정도면 되겠지. 이제 그만 챙겨야지."

그리고 절대 끝나지 않았으면 좋을것 같았던 하루가 끝났다.

제5장 이승이라는 곳

“결국 왔다. 이.승. 일단 집을 구해줬다니까 가보실까. 오랜만에 이사네. 솔직히 좋은 집… 까지는 기대도 안되고 정상적인 집이면 다행이겠지? 지도를 누가 이따구로 그려… 하… 진짜 나보다 그림 실력 안좋은 사람 처음본다.” 유월은 그렇게 생각하지만 현실은 둘다 비슷비슷하다.

“여기 주소가 있네. 일단 택시 잡거 미리 준 돈으로 생활해야지. 어짜피 혼점에서는 쓸때도 없으니까 여기서 펑펑 쓰고 다녀야지.” 택시에서 이렇게 중얼거린 유월을 택시기사는 이상한 사람으로 생각하면 계속 쳐다보았다. 하지만 유월은 그것을 알지 못했다.

“어? 생각보다 좋은데… 아니 은근 츤데레잖아? 우리집보다 좋은 거 같은데.” 유월이 들어간 집에는 2층인데 1층에는 부엌과 거실, 화장실, 빈 방이 하나 있고 2층에는 거실,

안방, 화장실, 부엌, 빈방, 베란다가 있었다. “와아ㅏ 겁나 좋다. 역시 내가 정부 친구 하나는 잘 사귄거 같아. 음… 저 1층 빈방은 컴퓨터 놓고 뭐 계획이나 찾아보는거 하고… 아니다. 비밀스럽게 하기도 해야하고 안방이 2층에 있으니까 2층에 놓고 1층 거실에는 의자랑 상 넣고… 베란다에도 탁자랑 의자도 넣고 아까 남은 빈방은 식물로 채우자. 그리고…”

그리고 이삿짐 정리가 끝났다. 유월은 2층에 있는 컴퓨터로 검색을 했다.

Q 최근 학교폭력

“뭐지? 거의 다 초등학생이잖아? 근데 찾아가기 귀찮은데… 아니 어쩔 수 없지. 그냥 내가 제보를 받아야겠어.” 유월은 일단 그림이 조금 있어야 사람들이 많이 들어올 것 같아 그림 작가를 구했다.

그리고 열심히 사이트를 만들었다.

“그런데 이런 사이트는 왜 만드시는거에요?” “그게 말이야. 사실… 내가 어릴 때 이런 일을 겪었는데 도움을 못 받아서 이게 한으로 남아 나 같은 사람들 도울려고.” “되게 좋은 마음을 가지셨네요.” “암튼 너 여기 싸인해.” “네? 계약 내용을 간단하게 정리한다고 적혀있는데 중요한게 없는 것 같은데요?" "아니야. 네가 이상한 것 같아." 그리고 남자가 계약서를 확인하는데 충격 받았다. '헐… 이게 말로만 듣던 노예 계약서? 아니 조용히 있자. 100명만 살리면 간다니까.' "근데 너 이름이 뭐냐?" "저는 김서준이라고 합니다." "엥? 김서준? 아 기분나빠. 그 진상이랑 이름이 같네." "진상이요?" "넌 몰라도 돼. 내가 예전에 가게를 운영했거든. 나는 유월이라고 해. 오유월." "되게 예쁜 이름이네요. 저는 22살인데 몇 살이세요?" "나는…" '뭐라 해야하지? 솔직히 1000살 정도인데 그렇게 말할 수 는 없잖아. 음… 얘한테 오빠라고 하기는 싫으니까 23살이라고 하자.' "나는 23살이야. 내가 너보다 많으니까 나는 그대로 말 놓을 거고, 너는 반말은 해도 되는데 누나라고 불러. 그리고 매일 같이 일해야 하니까 저기 빈 방있는데 거기에 컴퓨터랑 침대랑 책상이랑 다 놓아줄 테니까 거기서 생활하고 너도 나처럼 해." 그리고 서준은 생각했다. '나 잘못 걸렸다. 이거 노동청에 신고할 수 있나?' 하지만 차마 그 말을 입밖으로 내뱉을 수 없었다.

“야 다 그렸지?” “네. 근데 좀 별로에요.” “에이. 괜찮아. 뭐 얼마나… 씁… 이건 절대 쉴드치지 못할 거 같아. 너 실력 이 정도 아니였잖아.” “에이 그냥 낙서죠.” 유월은 그 그림을 최대한 쉴드쳐줄려도 해도 낙서였기에 절대 쉴드쳐줄 말이 생각나지 않았다.

“다 그렸어.” “하… 좀 별로긴 한데 그래도 내가 이거 해놓을께.” 유월이 한숨을 내쉬며 말했다. “뉘에 뉘에”

“후… 사이트 다 만들었다.”

만약 고민이 있으신가요? 혹시 학교에서 누군가가 괴롭혀서 자살을 생각하고 있다던가 누군가 자신에게 원한을 품고 있어 살해협박을 받았다던가 그런 일이 생기지는 않았나요? 그럼 저희에게 제보를 해보세요! 저희가 해결해 드립니다.
살해협박이나 학교폭력 등 생명의 위협을 느끼신다면 제보해주세요.

이름-

나이-

문제-

주소-

해결하고 싶은 방법-

“훗. 나 자신 너무 잘 썼어ㅋ” “쇼를 한다.” 옆에서 듣고만 있던 서준이 말했다. “니가 해봐. 어? 이게 얼마나 힘든데.” “허… 하나도 안 힘들어 보이는구만.” 유월과 서준은 또 싸우기 시작했다.

“어쩌라고 어? 너는 내가 월급 주잖아. 내가 사장이지. 응? 내가 갑이고 니가 을이야ㅋ” “하… 진짜 사장이라 참았다.” “안 참아도 돼.” “뭐? 진짜지?” “어짜피 이번달 월급 없거든.” “이런…”

“아… 배고프다.” “아니 점심 먹은지가 언젠데.” ‘아니 혼점에 있을 때는 밥이고 뭐고 안 먹어도 별로 안비쌌는데. 아니 너무 비싸. 돈이 없지는 않지만 그래도 뭐… 귀찮거든.’ “야, 니가 사와. 일단 딸기 타르트에 딸기 주스에다가 허니브레드, 그리고 니꺼는 마음대로 사와. 대신 적당히 해라?” 유월은 카드를 내밀며 말했다. “네? 아니 적당히 시키세요. 그리고 요즘 배달앱이 얼마나 잘 되었있는지 알아요? 배달의 만족이라고 깔고 아니다. 제가 시킬게요.” ‘어짜피 내가 하게 될것일거 같은데.’ “그럴거면 왜 말했는데. 에휴 내 팔자야. 너는 알아서 시켜라.” “네에”

“오오 요즘은 내가 직접 안가도 이런게 배달 되는구나.” “근데 배달비가 쬐끔 비싸요.” “괜찮아. 이렇게 귀찮음을 해결하는 걸 쬐끔 주는 걸로 끝내면 싼거지.” “자그마치 4천원 근데 이건 많이 시켜서 5천원.” “다음부터는 그냥 니가 포장해서 와.” “그래야 할거 같아요.” “아무튼 먹어보실까나?” 유월의 앞에는 유월이 시킨 아주 잘 익은 딸기가 올려져 있는 딸기 타르트, 딸기 라떼 그리고 허니브레드, 서준이 시킨 카페라떼와 바게트가 올려져 있었다. “이게 딸기 타르트란 말이지?” “진짜 어느 지역에서 살다 오셨어요? 아니 애초에 지구에서 살고 있었던건 맞아요?” “지구? 거기가 지구인가? 모르겠네. 나도 몰라. 거기가 어디지? 근데 지구가 어디야? 여기인가?” “… 풉 아니 거짓말하지 마세요. 어떻게 지구를 몰라요? 지나가는 5살 아이 붙잡아서 물어봐도 지구는 알거에요.” “야. 감히 나를 5살 아이한테 비교해? 너는 저승알아? 혼점 알아? 응? 고스트가 뭔지는 아냐고? 저승이 가는데 얼마나 비싼지는 아니? 그리고 니가 뭔데 나를 5살 아이랑 비교해? 아무튼 다시는 그러지마.” “혼점이요? 아니 고스트는 또 뭐고 저승은 아는데 저승에 돈을 내고 가야해요?” “당연히 모르겠지. 니가 그걸 모르는거랑 내가 니가 말하는 걸 모르는 거랑 같은거야. 아, 너한테만 조금 설명해줄까?” “아니요. 안 들을래요.” “그래 너한테는 좀 이르지? 그럼 내가 음…

우리가 75명을 구한다면 가르쳐줄게. 그 이야기가 궁금하면 나를 아주 적극적으로 도와야 할거야. 낄낄" "그냥 나 일 시키려고 궁금증 유발하는 거 같은데? 하지만 한국인이라면 궁금해 하는게 인지상정. 내가 75명 무조건 채워주지."
서준은 최대한 유월이 안 들리게 중얼된 것 같지만 유월은 그걸 듣고 자신이 동료를 잘못 뽑았다는걸 또다시 느끼게 된다. '에휴. 저런것도 동료라고.'

"그래서 제보는 들어왔어요? 누나." "와… 나한테 누나라고 부르는게 이렇게 감격스러울수가…" "아니 내가 그래도 1번은 부르지 않았어요?" "아니. 전혀 아니야. 한 번 조차 나에게 그렇게 부르지 않았어." 유월은 단호하게 말했다.
"아… 그랬나? 그래서 제보는 들어왔어요?" "제보? 어… 하나 들어왔어." "뭔데요?"

이름 - 김지영

나이 - 15 살 (중 2)

안녕하세요. 저는 저희 반에서 공부를 1 등할 정도로 공부를 잘해요. 그래서인지 저희 반 일찐에게 찍혀서 저희 반 일찐 숙제 도우미가 되었어요. 그런데 거기서 멈추지 않고 빵셔틀, 학원 숙제까지 대신하게 되었어요. 처음에는 공부를 더 할 겸 열심히 했는데 아이들이 늘어나더라고요. 그 무리 아이들이 점점 저에게 숙제를 맡기다 보니 저는 너무 힘들어졌어요. 그런데 저희 반에 저보다 훨씬 공부를 잘하는 애가 전학을 왔어요. 그런데 그 아이는 부자라서 그 무리 아이들이 건드리지 않는 것 같았는데 그 애가 공부할 겸 그 무리 아이들의 숙제를 대신 해주는게에요. 저는 아무것도 하지 않아도 되게 되어서 기뻤는데 그 아이들이 그 무리에서 전학생, 그리고 반 전체, 전교생의 빵셔틀을 제가 맡게 되었어요. 저의 성적은 그 아이들 때문에 점점 떨어졌지요.

주소 - 서울특별시 00 구 봄밤초등학교

해결하고 싶은 방법 - 그 아이들뿐만 아니라 저를 도와주었던 소수의 친구들을 뺀 지켜만 보고 있었던 아이들, 그리고 선생님까지 벌을 받으면 좋겠어요.하지만 전학생은 저를 도와주어서 벌을 받지 않으면 좋겠어요.

“이게 뭐라는거냐?” “아니 모르겠어요? 얘가 괴롭힘을 당한다잖아요.” “그니까 괴롭힘을 왜 당하는데?” “얘가 일찐의 화풀이 대상이겠죠.” “여기는 안 죽어? 여기서 돈을 벌어야 저승에 갈 수 있지. 죽을 때까지 돈 벌다 가면 나중에 저승에 갈 수 있어.” 아, 참고로 서준은 유월이 저승에서 왔다는 걸 알고 있는 유일한 사람이다. 그렇기에 저승의 이야기가 궁금한 것이다. “아 그런가요? 그렇지만 걔들은 부모님이 남겨주신 돈 쓰면서 저승에 갈 수 있을거에요.” “아, 내가 말안했나? 그 돈의 0.000001%만 거기서 가지게 되는거야. 그니까 재산이 100억이여도 1만원 밖에 못 가지게 되는거지.” “아니 그런 곳에서 어떻게 살았어요?” “나는 장사를 했는데 수입이 꽤 쏠쏠했어. 아무튼 100명만 채우면 이 지긋지긋한 이승 생활은 끝이다. 그리고 나는 저승에 간다고.” “아… 죄송하지만 저는 이만 가보겠습니다.” “무슨 소리야?” “네? 저는 집에 가야하지 않나요?” “아니지. 너 어짜피 혼자 산다며. 그러니까 같이 살자. 그게 좋을 것 같고. 네가 혼자 사는 것이 내가 너를 알바로 쓰는 이유니까. 그런 이유가 없으면 그림 실력도 안되는 너를 뭐하러 알바로 쓰겠어?” “아… 그럼 여기 있지 말고 우리 제보자에게 가야하죠." "음… 나쁘지 않네. 지금 기차표 예약할 테니까 준비해. 지금 당장 갈 수 있는 빠른 기차표로 예약할거야." "와… 특실로 잡아주세요." "에휴… 바라는 것도 참 많다." "아니 저 그러면 알바 안합니다?" "그래? 그럼 나는 특실로 하고 너는 일반석해." "아니 저 알바잖아요." "누구세요? 알바 안한다고 하지 않으셨나요? 그나마 일반석이라도 드리는 걸 고맙게 여기세요." "아, 죄송합니다." "그래 내가 한 번만 봐준다. 기차가 2 시간 정도 걸리니까 너랑 따로 방 잡을거야." "돈이 그렇게 많으신가봐요." "이딴 것도 알바라고." 그리고 둘 사이의 정적이 흘렀다. 그리고 둘은 또 싸우기 시작했다.

"와… 겁나 좋다. 그냥 저승이고 뭐고 여기에 있는 돈이나 펑펑 써대면서 살까? 아니. 내 가게 내 극장. 이걸 이렇게 키우려고 얼마나 노력했는데? 바로 해결해서 100 명 채우고 갈거야."

제6장 학교폭력

"안녕하세요. 제가 김지영입니다." "그래 반갑다." 유월은 최대한 웃으며 말했지만 지영에게는 그저 여기에 오는 것도 귀찮아 보이는 사람으로 보였다. 그렇기 때문에 지영은 유월을 불렀다는 것에 미안해졌다. "아오. 사장님 표정 좀 푸세요." "어? 표정? 최대한 풀고 있잖아." '진짜 저승에서는 표정을 푼다는 것에 대한 기준이 뭐지?' 하지만 저승에서도 표정을 푼다는 것의 대한 기준은 같다. 그저 유월이 모르는 것일뿐이다. "그래서 저는 괴롭힘을 당하고 있어요. 오늘도 그 아이들 숙제해주느라 아직까지 학교 남아있었고요." '지금 새벽 3시인데 대체 얼마나 시키는거지?' 유월은 생각했다. "그럼 우리가 계획을 짜본 것좀 들어볼래? 우리는 고객의 만족을 최우선으로 생각해서." "그래요? 저 같은 것의 만족을 최우선으로 생각해도 되나요? 저는 곧 죽을 것이고 아무도 저를 기억해주지도 않을거고 심지어 기억 될 것 같은 행동도 하지 않았어요.” 지영은 스스로를 아주 사람보다도 못한 존재로 생각하고 있었다. ‘이거 생각보다 심각한걸? 하지만 그건 중요하지 않아. 이 아이를 살리기만 하면 이 기계의 숫자가 올라가니까.’ “우리의 계획은 내가 ~~~~~~~~~~~~” “그거 좋은 것 같아요. 하지만 들키지 않을까요?” “괜찮아. 이 세상에 돈으로 안 되는 것은 없으니까.”

“안녕하세요. 여러분 여러분의 선생님께서 다치셔서 제가 임시 담임쌤으로 오게 되었어요. 근데 선생님이 편하게 반말로 해도 될까요?” “네! 선생님 편하게 말씀하세요.” “그래, 얘들아. 너희 선생님께서 계단에서 넘어지셔서 다리를 크게 다치셨거든? 그래서 내가 왔어. 아, 내 소개가 늦었네. 나는 오유월이라고 해.”

오유월

“자, 오늘 1교시는 선생님의 대해 알아보는 시간이 될거야. 아니면 공부할래? 그럼 노는 시간이 조금 생기기는 할건데. 아무래도 공부는 하기 싫지?” “네! 선생님 공부하기 싫어요.” “그래. 자 선생님은 아주 먼 곳에서 왔어.” “먼 곳이요? 어디에서 오셨어요?” “혼점이라고 너희는 처음

들어볼거야. 선생님이 아주 멀고 시골에서 와서 너희는 모를 수도 있어. 그리고 질문을 해보겠니?" "선생님 첫사랑 이야기 해주세요!" "미안하지만 선생님은 첫사랑이 없단다. 물론 있었을 수도 있겠지만 선생님이 머리를 크게 다쳐서 기억이 거의 다 사라졌단다." "헐 선생님 저희는 기억하시겠요?" "픕. 얘들아, 지금은 다 기억해. 선생님이 예전에 사고를 당해서 예전 기억이 없다는거지. 자주 기억을 잃는다는 건 아니야." "아… 그럼 선생님이 좋아하는 음식이 뭐에요?" "선생님은 국수를 좋아해. 그리고 고기도 좋아하고 떡볶이도 좋아하고… 음식의 취향이라는 게 딱히 없어서 거의 다 좋아해." "와. 쌤 멋져요."

딩동 댕동 딩동 댕동

"와, 학교 끝났다." "그게 무슨 소리니? 지금 1교시 아니었나?" '아, 맞다. 오늘 1교시 남기고 다친 거였지?' "얘들아, 잘가렴." "와!!!!! 하교다!!!!" '어짜피 학원이 있는데 참. 재네들은 매일 저런다니까. 어? 내가 그걸 어떻게 알지…?" "오늘 떡볶이ㄱ?" "ㄴㄴ 오늘 마라탕이라 탕후루 먹기로 했잖아." "아 그러네. 그럼 내일 떡볶이ㄱ" "ㅇㅋ" '뭐… 나도 저런 젊은 전생이 있었겠지. 나라고 이승에 살던 때가 없었던건 아니니까. 여기에 온 이유중 전생의 기억을 찾기 위한 것도 있기는 있으니까.'

'쟤가 지영이를 괴롭혔다는 애인가? 참 흔한 말썽쟁이 부잣집 아가씨구만. 나중에 아버님을 만나봐야겠어.' "야 너 지금 쌤 있는걸 고맙게 여겨라. 쌤만 없었으면 너 죽었어. 빨리 내 숙제해." 일진이 지영이에게 속삭였다. "응… 미안해. 꼭 다 할게. 그러니까 때리지만 말아줄래?" "뭔소리야. 오늘은 무조건 때릴건데? 내가 봐준다고 했지. 안 때린다고는 안했잖아. 나는 매일 너를 때렸잖아. 그런데 숙제를 안해오면 더 때리지. 숙제를 안했던 것만 봐준다고 했어. 그러니까 넌 무조건 때릴거야."

띠링

"어? 우리 동혁이 오빠 왔나보다. 야 나 데이트하러 갔다올때까지 이거 다 해놔. 그럼 특별히 오늘은 안 때릴께. 대신 못하면 동혁이 오빠까지 불러서 3배로 때릴거다." "응. 고… 고마워." "그래. 고마워 해야지." 일찐은 지영의 어깨를 치며 말했다. "아무튼 난 간다."

"지영아." 유월이 말했다. "선생님… 저 유리 때문에 너무 힘들어요…" 지영은 울음을 터뜨리며 말했다. "저 아이가 왜 널 괴롭히는지 알려줄 수 있니?" "사실… 저랑 유리는 초등학교 때 아주 친했어요. 그러다가 유리가 저랑 가장 친한 친구랑 싸우게 되어서 저희 무리를 나갔는데 유리가 저만

불러서 자기랑 가장 친하니까 저도 나가라고 했어요. 하지만 저는 유리랑 싸운 지현이가 저랑 제일 친하다고 했어요. 그래서 절대 나가지 않을거라고 했어요. 근데 글쎄 유리가…" 지영은 말은 잇지 못했다. 하지만 유월은 이미 결과를 알고 있다. '지현이라… 아마 그 영혼인가? 자신이 괴롭힘을 당했다고 했던 그 영혼. 하지만 그 영혼 많이 수상했어. 이지현, 어쩌면 본인이 괴롭혔던 것 같은데.' "지현이가 심하게 행동했기는 했는데 유리도 실수였어요. 하지만 결과는… 유리랑 지현이가 서로 싸우면서 길을 건너다가 지현이는 여전히 유리를 싫어했는데 유리는 화해를 하고 싶어서 불렀다고 했어요. 계속 지현이가 화만 내니까 유리도 과격해지고 그렇게 티격태격 하다가 결국 몸짓으로 번져서 지현이가 유리를 치려다가 발이 걸려 넘어졌어요. 그래서 결국 지나가던 차에…" "그 뒤로는 말 안해도 돼." "그래서 아직 어린 저는 유리가 지현이를 죽였다고 생각해서 유리를 멀리했어요. 초등학교 때는 저의 친구들도 그래서 지지는 않았는데 제가 전학을 와서… 저 혼자 이 동네에 있어요. 여기 아이들은 이미 유리랑 다 친해져서. 그리고 유리는 이 학교에 있는 일진 언니랑 친해져서 저를 괴롭히고 있어요. 솔직히 저는 유리랑 화해하고 싶은데 다가갈 수가 없고 이제서 사과하는 건 너무 늦었다고 생각해요. 저는 할 줄 아는 것도 없고 믿을만한 사람도 없어서…" "할 줄 아는 건 공부. 공부

잘하잖아. 믿을 만한 사람은 나. 나 못 미더워? 다 있는데? 그럼 이제 화해하면 되겠네." 유월은 아무렇지 않게 말했다. "엥? 그게 쉬워요? 지금 괴롭힘을 당해서 힘들잖아요. 저는 애초에 그런 애한테 말 거는 것도 못할거 같아요. 그냥 화해하려는 생각을 하나도 안 할거 같은데요." 지나가던 서준이 말했다. "어… 보건쌤 왜 여기 계세요?" "아. 소개가 늦었다. 여기는 내 조수 서준이야." "아, 보건쌤도 잡입이셨군요." "아하하… 잡입이라니." "왜 그래. 맞는 말이잖아."

"자 애들아. 오늘은 학교폭력 예방교육을 할거야. 혹시 그럴일이 없겠지만 우리반에 학교폭력 피해자가 나타나지 않기 위해서 이 교육을 하는거고. 여기에 학교폭력을 당했을 때 대처하는 법도 들어가있으니 다른 반이나 또는 다른 학교에서 당했거나 봤다 그러면 오늘 배운 것으로 대처하면 된다."

"자 만약 학교폭력을 당해서 신고를 했고 결국 법정까지 가서 재판을 했으면 다양한 처벌을 받을 수 있어. 별로 심하지 않은 1호 처분 같은 경우는 사과나 접촉 금지 정도로 끝나지만 만약 더한 학교폭력을 저질렀으면 사과로 끝나지 않고 봉사를 하거나 심하면 소년원까지 갈 수도 있단다. 그러니까 절대 학교폭력 같은거 하지말고 친구들과 사이좋게 지내야한다.

알겠지?” “네!!” ‘그게 뭐라고 소년원까지 가? 나 소년원 가면 빨간줄 그어지는거 아니야… 지금이라도 김지영한테 사과해야 하나? 아니 걔가 나한테 어떤 짓을 저질렀는데. 이지현이랑 똑같이 고통 받게 해주겠어. 이지현이 그걸 알려주기 했지만 걔도 잘못이 큰걸.’ 모두가 크게 대답하고 있지만 혼자 표정이 굳어진 유리를 유월이 발견했다. ‘참… 쟤도 벌은 받아야 하지만 잘못을 뉘우치면 좋겠는데. 저런애가 그대로 우리 극장에 오면 나로써는 곤란하거든.’

“자 애들아 수업은 이정도로 하고 이제 쉬는 시간이다. 근데 유리는 잠깐 선생님 따라 상담실로 올래? 상을 줘야 하기도 하고 행사 때 했던 비밀 편지가 도착했거든. 그리고 지영이도 올래? 너도 상을 받아야 해서.” “네.” 유리와 지영이 말했다.

“저는 무슨 상을 받나요?” “유리는 너 전에 피카소를 찾아라라는 대회 나간적 있지? 거기서 네가 최우수상을 했더라고. 정말 네가 우리반이라서 뿌듯하구나.” “아… 그거에서 최우수상을… 금상이 아니고” “그리고 여기 편지란다. 지영이는 유리와 같은 대회에 나갔네? 어머 지영이는 금상이구나. 우리반에 금상과 최우수상이 다 있다니 너무 좋은걸?” “와… 제가 금상이요? 정말…” 지영은 결국 울음을 터뜨렸다. “자 지영아 그만 울고.” 유월이 단호한 목소리로 말했다. “네? 그건 있을 수 없는 일이에요! 어떻게 제가 재보다 못한것이죠? 이건 조작이에요.” 유리가 소리쳤다. “미안하지만 이건 심사위원들이 평가한거야. 누가봐도 잘 그린 그림이라도 심사위원들이 다른 그림이 더 좋다고 하면 그대로 순위가 바뀌는 거란다.” “뭐…!!! 그런게 다 있어!!!! 어떻게 나는 너보다 잘하는 것조차 밀리고 유일하게 잘하던게 미술이였는데!!!!!!” 유리는 소리치며 날뛰었다. 사실 유리가 이러는 데에도 다 이유가 있었다.

지현, 유리, 지영 무리에는 누구나 잘하는게 있었다. 지현은 친구가 많아 사회생활을 잘하고 지영은 공부를 유리는 미술만을 잘한다. 하지만 미술은 잘한다고 되는 것이 아니다. 어떤 그림을 그린다는게 중요한 것이지. 그렇기에 아이디어가 떨어지는 유리는 아무리 그림을 잘그려도 주제가 좋지 않기에 모든 대회에서 1등을 지영에게 빼앗겼다. 사실 빼앗겼다고 할것도 없다. 1등이 유리의 것이지도 않았기 때문에. 그래서 이때를 노린 지현이 유리를 따돌리기 시작했다. 원래 지현과 지영이 유치원 때부터 절친이였다가 초등학교에 오면서 유리와 친해진 것이다. 그것을 지현이의 마음에 들지 않았다. 그래서 점점 유리와 지현이 지영이 무리, 지 무리가 멀어져 갔다. 초등학교 때 유리는 혼자서 쓸쓸히 지냈지만 지현이가 세상을 떠나고 유리는 다른 지역학교로 전학 갔다. 그리고 유리와 절교할때부터 절교하고 싶지 않았지만 지현 때문에 어쩔 수 없이 절교한 지영이가 유리와 다시 친해지기 위해 유리가 있는 학교로 전학왔다. 그런데 먼저 왔던 유리는 이미 많은 친구를 사귀었고 뒤 늦게 전학온 지영이는 흔히 말해 왕따가 되었다. 그리고 유리의 반격이 시작되었다.

"스탑, 거기서 그만해. 너 진짜 아무것도 모르는구나? 정말 바보야, 바보. 너 정말 지영이가 어떤 마음이였는지는 알고 있었던거야?"

툭

"이거 지영이가 그린 그림이야. 이거 보고 철 좀 들어라. 지영아, 나가자." 유월은 지영에게 손을 내밀며 말했다. "네, 선생님." 유월과 지영은 나갔다. "이게 뭔데…"

그림 생략

_

제목 - 나의 친구 유리에게

초등학교 때 어쩔 수 없이 절교한 유리에게 전하는 미안한 마음을 담은 그림.

"이게 무슨… 설마?" 그제야 유리는 모든 것이 이해가 되었다. 자신을 놀리는 줄만 알던 초등학교 때 지현 몰래 조금씩 자신을 챙겨주던 지영의 진심을. "나 대체 지금까지 무슨 일을 벌인거야? 지금 친구들은 그저 내가 알고 있는 언니들이랑 친해지기 위해 나에게 계획적으로 다가온 애들밖에 없는데… 유일하게 나에게 먼저 손 내밀어준 친구를 내가 내 손으로 뿌리친거야…?" 유리의 몸속에서 무언가가 올라오지만 유리는 그것이 무엇인지 알지 못했다. 조금 따갑지만 따뜻한 그게 무엇인지.

'얘 대체 언제오냐? 후… 이제 학폭위 열어서 소년원 가야하는데. 그래도 지영이가 자수할 정도로 나쁘지 않은 애라고 했으니까 느긋해도 되겠지. 물론 기대도 안 되지만.'

"선생님…" "유리야. 왜?" "저… 자수할게요…! 제가 지은 죗값 달게 받을게요. 그 대신 마지막으로 지영이에게 사과하게 해주세요. 지금 사과하지 않으면 다시 기회가 없을거 같아요. 제가 벌을 더 받아도 되니까 10분만 아니 1분만이라도 시간을 주세요." "그래? 정말 사과할거야? 그럼 학교 끝나고 사과해. 학폭위는 그 뒤에 열어도 되니까."

"왜 불렀어? 또 숙제 시키려고? 나 더 이상 니 숙제 못해줘. 니가 이렇게 하는거 다 학폭이고 나 지금 너 보고 있는거 진짜 역겨거든? 빨리 용건만 말하고 내 눈 앞에서 사라져줄래?" "지영아. 내가 지금 이렇게 말하는게 이상하게 보일수도 있고 내가 이런 말을 할 자격도 없다는거 잘 알아. 그런데 이 말만은 꼭 해야할거 같아." 그제서야 유리는 올라오던 그 감정이 무엇인지 알았다. 바로 '미안함' 이였다. "미안해, 정말. 지금 이 말이 우습게 보일지는 몰라도 진심이야. 난 이제 곧 학폭위가 열리는 곳으로 갈거야. 너도 같이 가겠지. 그리고 나는 곧 이 곳을 떠나 소년원으로 갈거야. 그런데 이 말은 꼭 하고 싶었어. 정말 미안하고 이제는 죗값 톡톡히 치르고… 여길 떠날게." "…" 그리고 지영은 아무말도 하지 않았다.

"피고 민유리에게 소년원 처분을 내린다."

탕

탕

탕

"이게 무슨일이에요? 우리 유리가 우리 유리가 그럴리가 없어요. 유리야, 무슨 말이라도 좀 해봐. 우리한테 뭐라도 좀…" "…"

"유리야!!!! 가지마. 내가 너 보석금을 내서라도 꼭 데릴러 갈게."

"저 우리 유리 얼굴만 보고 간다니까요?" "죄송하지만 민유리양이 원하지 않습니다." "그게 무슨 소리에요? 제가 그래도 부모인데…"

띠링

"오 1명 올랐어!" "근데요, 이거 제가 죽기 전에 100명 못 채울거 같은데요?" "음… 아무래도 그렇지? 근데 생각을 해봐. 니가 몇배로 하면 할 수 있지 않을까? 그러니까 앞으로는 10배로 한다. 알겠지?" "아니… 그거 맞아요?" "그럼 아니겠니? 어쩔 수 없다. 너 해고야." "아 안돼요! 저 여기 아니면 갈곳 없어요. 여기만큼 월급 많이 주는 곳도 없고." "그럼 10배로 해. 그럼 시급 10배로 줄게." "뭐부터 하면 될까요?" 갑자기 생기가 돈은 서준이다.

제7장 살해협박

이름 - 박지민

나이 - 26 세

안녕하세요. 지금 이거 익명성 보장 되는거 맞겠죠? 사실 제가 살해협박을 받았습니다. 누군지도 모르겠고 제가 원한 살 일은 안했는데 드라마에서 볼 때는 이런거 받았을 때 왜 저러는지 궁금하고 답답하고 그랬는데 실제로 제가 이런 상황을 겪으니까 너무 무서워요. 이 사람이 경찰에 신고하면 제 지인들까지 위험하다고 해서 이런 글 올려봅니다. 저는 최대한 안전하게 해결하고 싶어요.

“사장님, 드디어 사장님이 기다리고 기다리던 제보가 왔어요.”

우리는 그동안 많은 사람들을 구했다. 스스로 목숨을 끊으려는 사람이나 누군가를 죽이고 스스로 목숨을 끊을려고 생각하는 사람 등 이런 사람들을 열심히 살려주었다. 그래서 드디어 99명을 채웠다. 이제 남은건 방금 들어온 제보. 박지민이라는 사람뿐이다.

“왜 안올까요?” “그러게… 근데 저 사람을 구해서 다시 혼점으로 돌아간다니 너무 기대되는걸?” “저랑 떠나는건 안 슬프세요?” “슬프지는 않겠지? 어쨌거나 난 너를 혼점에서 기다리고 있으니까.” 우리는 많은 사람들을 구했던 시간들 속에서 아주 가까워졌다. 연인이라고 해도 믿을만큼. 사실 나는 말로는 그렇게 했지만 서준과 잠깐이지만 이별한다는 사실에 조금 아쉽기는 했다. 서준이라면 나와 같이 내 극장에 들어가도 되지 않을까라는 생각도 했고. 그러고 싶기도 했지.

“죄송해요! 제가 늦었죠.” ‘어라?’ 지민의 옷깃에 피가 살짝 묻어있었다. “옷에 피는 뭐죠?” 서준이 물었다. “아… 그게요 여기 팔꿈치가 까져서 묻었나봐요. 아끼던 옷이였는데” “아무튼 그 협박편지나 보여주시겠어요?” “네? 아 그거 안가져왔는데. 저희집이 여기서 가까워서 같이 가시겠어요?” ‘아니 집이 가까웠는데 늦은거야?’ “그 시한폭탄 같은게 있을 수도 있잖아요. 근데 제가 오늘 약속이 하나 잡혀서 같이는 못 있어드릴거 같아요.” ‘시한폭탄 있으면 우린 죽으라는 거야?’

“저는 약속이 있어서 이만.”

지민에게

반갑습니다. 오늘 제가 당신에게 협박을 좀 할까 합니다.
당신은 내일모레 죽습니다. 바로 저의 의해서 말이죠. 실은
저희가 가상현실을 하나 운영하고 있습니다. 그리고 저희가
만드는 가상현실은 소중한 사람이 죽는 가상현실이고요.
그런데 저희 연구원들은 모두 사람이 죽을 때 느껴지는 감정을
모릅니다. 그렇기에 당신을 죽여 그런 것을 연구하려고 하죠.
하지만 당신도 억울할 수 있지요. 그래서 저희가 기회를
드리죠.

그 뒤는 찢겨 있다.

“아, 맨날 중요한 부분은 찢어놓더라. 그래서 여기를 조사해야 한다는거지?” “네. 조사해보죠.” “그래.”

“윽 이게 뭐야…” 유월이 들어간 방에는 공포 영화들의 포스터가 정리되어 붙어 있었다. 심지어 그냥 공포영화도 아닌 사람이 죽는 잔인한 영화들이었다. “이 사람 취향이 왜이래?” “사장님!! 빨리 나가요! 여기 폭탄있어요! 빨리 나가요!!!!” “잠깐만 여기 이 종이만” “곧 터져요!!!”

펑

펑

펑

그 집에는 총 3개의 폭탄이 설치되어 있었다. 젊은 여자 한 명 죽이기 위해 저렇게 위력이 강한 폭탄을 3개나 설치해야 했을까? “어? 서준아! 어딨어!!!” 그리고 유월에게 한 남자가 다가왔다.

“유월씨, 여기서 보니 반갑죠?” 호진이였다. 혼점의 정부에 소속된 호진. “아니 이렇게 행동하시면 어떡합니까? 휴 하마터면 당신이 다시 혼점에 돌아오지 않을뻔했잖아요. 무슨 영혼이 인간과 사랑에 빠지다니.” ‘어? 그게 무슨 소리야.

인간과 사랑의 빠진다는거면 서준이? 설마 저 사람이 서준이를 죽였던거야? 폭탄을 터트리고?' "저희가 유월씨를 위해 협박편지도 보내고 그 지민씨 있죠? 그 분도 저희 정부의 일원이에요. 지금 유월씨의 돌발행동 하나 때문에 저 불쌍한 인간이 죽었어요. 하… 유월씨 때문에 영혼은 더 늘었잖아요. 물론 99명까지 잘해주셔서 굳이 영업정지까지는 이어지지 않을거에요. 아무튼 돌아가요. 그리고 더 이상 유월씨에게 신뢰하지 못할거 같아요." 유월은 당장 호진에게 소리치고 싶었다. 대체 왜 그랬냐고. "그리고 일을 망쳤으니 저승에 보내준다고 했던건 취소에요." 그렇게 가고 싶어했던 저승도 이제는 가도 가지 않아도 상관 없었다. 아무래도 서준을 사랑했던게 맞았던 것 같았다. 더 이상 서준이 없는 곳은 내게 의미 없었다.

제8장 마지막

다시 이곳으로 돌아왔다. 모든 것이 똑같다. 다만 이제는 서준이라는 사람이 보고 싶을 뿐인거지. 그 날은 유난히 손님이 별로 없었다. 마치 오늘은 잔뜩 슬퍼하라고 하는듯이.

그렇게 하루 이틀 사흘 나흘이 흘렀다. 나는 내가 무엇을 하는지 나흘째에야 알게 되었다. 나는 서준을 기다리고 있었다. 하지만 나는 서준에게 나의 가게 이름을 말해주지 않았다는 것을 1주일 째야 알았다. 그리고 1주일 째 되는 날 정부에서 전화가 왔다.

"여보세요." 평소와 다른 목소리였다. 기운이 없는 목소리. "저 호진입니다. 저 죄송한데 지금 유월씨 덕분에 영혼들의 수가 줄어서 당분간 환생극장 영업정지입니다." "네." "웬일이예요? 뭐라 그러지 않고… 아무튼 조금 쉬세요. 피곤할거 같으니까."

뚝

통화가 끝났다. 그리고 나는 생각했다. 이 외로움, 허무함, 공허함을 그동안 어떻게 참아왔는지. 아마 이런 감정들이 내 안에 있었다는걸 몰랐을 것이다. 만약 알았다면 나는 절대로 이 감정들을 참아내지 못했을 테니까. 마치 지금처럼 나는 그리고 또 생각하다 이런 생각을 하게 되었다. '서준이도 나를 사랑했을까?' 이런 생각들을 하다보니 난 너무 이기적이였던것 같다. 서준이의 마음은 생각도 하지 않고 내 감정만 생각했었다. 하지만 서준이는 나를 사랑하지 않았을 것이다. 나를 사랑했다면 나에게 왔겠지. 어떻게 해서든 나에게 찾아왔겠지.

달그락

나는 영업정지인 1달동안 가게를 뒤져봤다. 거기서 아무것도 찾지 못했다. 뭐 어쩔 수 없지. 그러다가 내가 예전부터 적어놨던 손님들 이름 리스트를 찾았다. 그런 사람들의 이름을 하나씩 읽으면 그 사람이 어떤 사람이였는지 어떤 극을 보여주었는지 다 떠올랐다. 이런 기억은 이렇게도 잘하면서 왜 과거는 생각나지 않는걸까?

그리고 나는 점점 전처럼 바뀌어갔다. 일하고 먹고 자고 일하고 먹고 자고. 다른게 있다면 일을 하는 목표가 사라지고 정부의 꼭두각시가 되었다는거 밖에 더 있나?

“반갑습니다. 손님.” “안녕하세요! 저는 정지윤이라고 합니다.” ‘텐션이 높다. 텐션이 높은 사람은 취향이 아닌데… 그치만 거부감이 없는 이 기분은 뭘까. 마치…’ “저 무슨 생각을 하세요?” “아, 죄송합니다. 혹시 성함이 어떻게 되세요?” “아까 말씀드렸는데요…” “제가 못들어서 그런데 한 번만 더 말씀해 주시겠어요?” “정지윤이라고 합니다!” “네 정지윤”

띠디딕

‘48302338 이제 진짜 이 숫자의 의미가 궁금하다. 나는 숫자가 뭘까?’ “좋은 열람되세요.” “네?” 그리고 지윤은 사라졌다. 점점 유월의 말투는 딱딱해져가고 있다. 정말 꼭두각시 인형처럼.

“근데 지윤이라는 그 여자. 마치 과거에 나랑 연관이 있었던거 같아. 그치만 기억이 안나서.”

“반갑습니다.” 문에서 들어온건 주름이 조금 있는 50~60 대 정도에 여자가 서있었다. “네, 손님. 혹시 이름이 어떻게 되세요.” “김미영이라고 합니다.” “김미영이라…” ‘38592959 오오 조금 느낌이 달라. 일단 기분이 좋네. 아무튼’

띠디디딕

"근데 여기 들어있는 사람은 못 보죠?" 여자가 물었다. "네? 안되죠. 1시간이 지난 사람은 볼 수가 없거든요. 그런데 뭐 이름 정도는 볼 수 있을거에요." 유월이 뒤늦게 말을 덧붙였다. "그런가요? 그럼 저희 딸이 그곳에 들어가있는지 확인해주세요. 오유월이라고" "네? 그게 무슨 으악" 순간 유월은 엄청난 고통의 눈이 감겼다. "죄송하지만 오늘 컨디션이 안좋아서 이만 문을 닫아야 할거 같아요. 그저 극만 감상하시고 그 분은 보지 못할 거 같아요. 그런데 제 기억을 되돌아보면 없었던거 같아요." "아, 제가 괜한 부탁을 했죠? 그냥 극만 감상하겠습니다." "네, 좋은 열람되세요."

'방금 그 사람 누구였지? 어떻게 내 이름과 같은 사람이 그 여자의 딸이야? 설마 내가? 아니 그럴리가 없지. 내가 이 일을 한지도 아주 오래되었는데 우리 부모님은 얼마나 일찍 돌아가셨겠어. 아마 동명이인일거야.' 유월은 그날 극장을 열수도 잠을 청할 수도 없었다. 낮에 왔던 여자 때문에.

"하암, 졸려. 밤에 잠을 한숨도 못잤어… 아 그 사람 극은 어땠을까? 볼걸 그랬어. 거기에 진짜 내가 나오거나 안 나와도 잠을 잘 잘 수 있었을텐데. 진짜 아쉽네. 손님도 안오고. 생각해보니까 저승은 이제 나한테 아무 의미 없고 서준이 올 때까지 여기서 돈만 벌어야 하는데 저승 보내준다는 말만 믿고 우리 고객님들을 줄인거잖아. 일 하는건 싫지만 돈 없는건 더 싫은데." 그리고 유월이 생각에 잠긴지 2시간이 흘렀다.
충격적인건 2시간 동안 손님이 하나도 오지 않았다는 것이다.
"그런데 전에 왔던 그 진상. 그 사람 이름도 서준이였는데?
그 사람이 줬던 봉투가 어딨더라? 아직도 아무것도 없나?"

"찾았다. 어? 뭐가 적혀있는데? 유월 사장님께?"

To. 유월 사장님께

안녕하세요? 사장님. 사장님과 함께했던 세월들은 정말
즐거웠어요. 그동안 저는 사랑이라는 것도 느껴보았고요.
그렇지만 사장님은 영혼이고 저는 사람이니 사장님을
사랑한다는 것을 부정했어요. 하지만 이제는 알게되었어요.
이미 많이 늦었지만요. 이 이야기는 사장님이 그곳에서
탈출하시면 마저 하고. 사장님, 사장님께서 있는 곳은
가짜에요. 지금 기계에 오유월. 사장님의 이름을 써보세요.
그럼 모든 것을 알게 될거에요. 사장님께 하고싶은 말이
많지만 지금은 그런 말을 할때가 아닌 것 같아요. 사장님이 이
편지를 읽었다는 것을 잊기 전에 빨리 그 가짜에서
탈출하세요.

20xx 년도 x 월 x 일

서준 올림

“이게 뭐야? 그럼 진짜 그 진상이 서준이였던거야? …”
유월은 잠시 생각에 잠겼다. “아니 이런 생각을 할때가
아니야. 서준이가 급하다고 했잖아. 그럼 빨리 기계에 내
이름을 입력해야지.”

오

유

월

이 영혼은 현재 극을 열람 중입니다. 극을 보시겠습니까?

YES / NO

“어? 그게 무슨 소리야? 나는 여기 있는데 이거 내가 아닌거
아니야? 하하 그 내가 아닐 수도 있잖아.” 유월은 현실을
부정하려고 했지만 속은 진실을 알고 있었다. “설마…”
유월은 YES를 클릭했다.

“어? 이게 뭐야… 그동안 내가 쌓아온 노력들이 모두
가짜였다고? 나는 살아있어. 살아있다고…!!!!! 나는 죽지
않았어. 나는 가짜가 아니라고!!!!!!!! 이래서 이래서
서준이가 서두르라 했구나. 이래서 잊어버리고… 근데 그래서
뭐? 서준이가 사랑하는건 내가 아닌 진짜 오유월인걸? 내가

이런 프로그램을 사용하고 있었다니…" 유월의 앞에 기계에 비친 화면은 다름 아닌 유월 자신이였다. 유월이 지금 하고 있는 행동 표정까지 모두 실시간으로 나오고 있었다. 꼭 유월이 사람들의 극을 구경할때와 비슷했다. 그리고 유월 앞에 선택지가 하나 나왔다.

충격을 받으셨군요. 진짜 오유월을 보겠습니까?

YES / NO

"여기서 진짜 오유월을 보라고? 이게 맞는거야? 어짜피 소멸되었을텐데… 어? 잠깐만 나는 소멸되지 않을거야. 근데 서준이는 이걸 어떻게 알았지? 어떻게 이곳에 들어왔고?" 유월이 넘어갈 수 없는 이상한 점이 한 두가지가 아니였다. "몰라 충격 받든 말든 일단 YES 하자." 화면에 진짜 오유월이 보였다. 그리고 화면에는 지금 유월이 하고 있는 것을 보며 웃고 있는 '진짜 오유월'과 그 옆에서 지켜보고 있는 서준이 있었다. "이게 뭐야… 나는 꼭두각시였던거야. 나의 주인은 그저 미친 사람이고… 그럼 내가 정신이 이상한거야?"

쿵

쿵

쿵

유월은 충격을 금치 못하고 기계를 부수려고 노력했다. 하지만 어찌나 단단한지 기계는 부숴지지 않았다. 그런데 이상한 일이 일어났다. 화면에서 보였던 진짜 오유월의 표정이 일그러졌다. 그리고 서준은 뿌듯하다는 표정을 하고 있었다. 자세히 드려다 보니 유월이 보고 있던 화면에서 아무것도 나오지 않고 있었다. '이때다! 지금이라면 진짜 오유월이 나의 극을 마음대로 바꿀수도 없고 내가 하는 일을 볼수도 없어. 그런데 뭘 어떻게 해야하지?' 한창 고민하던 유월에 앞에 한 홀로그램이 보였다. 틀림없이 기계에서 나오는 것이 아닌 공중에 떠있는 홀로그램이였다.

가짜 오유월씨 지금 당신은 14 번째 가짜 오유월입니다. 뭐 그전 가짜 오유월도 기억을 잃은 당신이기는 하죠. 그 중 지금처럼 진실을 알아낸 가짜는 아무도 없었어요. 모든 극을 포함해서도요. 항상 저희는 영혼 같은 영혼을 만들었습니다. 뭐 영혼의 데이터를 옮긴 것이라 영혼 같을 수 밖에 없지만 당신은 그 중 최고의 걸작입니다. 저희는 오유월씨 같은 걸작을 보내고 싶지 않지만 그래도 규칙이니 당신에게 15 번째 삶을 드리겠습니다. 물론 혼점에서의 삶이 아닌 정말 이승의 삶을요. 지금 당신의 과거 기억이 없는 것도 데이터가 전송되다 끊긴것이지요. 13 번이나 했었으니 그럴만도. 아무튼 과거의 기억을 다시 드릴 수는 없고 새로운 기억을 만들어보는건 어떠십니까? 저희가 정말 이승의 삶을 드리겠습니다. 이승의 삶을 새로 사는 것을 동의하십니까?

YES/NO

사실 가짜 유월에겐 선택지가 없었다. 15 번째 삶은 진짜 오유월의 꼭두각시로 사느냐? 아니면 15 번째 삶을 이승에 내려가 사느냐. '그럼 당연히… 이 홀로그램의 말을 들을 수 밖에. YES.'

감사합니다. 잠시뒤 급히 기억을 넣을 테니 조금 어지러울 것입니다. 참고하시길 바랍니다. 그럼 차원 이동 시작하겠습니다.

띠

띠

띠

그리고 난 새로운 사람으로 태어났다. 가짜 오유월의 삶이 아닌 '진짜 유지아'의 삶으로.

이승 생활은 그렇게 힘들지는 않았다. 미리 이승에 다녀와서 그런가… 그런데 마음에 걸리는게 있다. 분명 홀로그램이 그랬다. '김서준도 이승에서 환생했다.' 라고 하지만 나는 많이 자란 지금도 서준을 만나지 못했다. 하지만 언젠가는 만나게 될것이니까.

이 책을 읽을 독자분들에게

저는 이 책을 쓰는 동안 많은 후회를 했습니다. 글을 쓰려고 하지말걸 그랬나, 스토리를 바꿀까? 와 같이 다양한 후회을 많이 했습니다. 심지어 지금 이 작가의 말을 쓰고 있을 때도 많은 후회를 하고 있지요. 하지만 '첫 번째 작품인데 그래도 열심히 해야지'라는 생각으로 지금 이 작가의 말을 쓰며 작을 완결할 수 있었던거 같습니다. 스토리가 마음에 들지 않아 고치려고 했지만 내가 스스로 정한 것을 바꾸고 싶지 않아서 계속 생각대로만 했는데 지금 생각해보니 조금 뿌듯하네요. 첫 작품이라 어떤 형식으로 써야하나? 작가의 말은 어떻게 써야하지? 라는 생각도 많이 했는데 완결을 하며 조금 더 배운 것 같아요. 이 환생극장은 저의 첫 작품이자 저를 여기까지 오게 해준 작품여서 애정이 많았는데 이렇게 완결한게 조금 아쉽기도 하고, 뿌듯하기도 하네요. 다음 작품도 환생 극장 같이 제가 애정이 많은 작품이 될 수 있다고 믿겠습니다.

지금까지 이 환생 극장을 읽어주셔서 감사합니다.

환생 극장 작가 임수민 올림